어린 삶의 의인

어린 삶의 의인

발 행 | 2024년 07월 18일
저 자 | 조현우
펴낸이 | 한건희
펴낸곳 | 주식회사 부크크
출판사등록 | 2014.07.15(제2014-16호)
주 소 | 서울특별시 금천구 가산디지털1로 119SK트윈타워 A동 305호
전 화 | 1670-8316
이메일 | info@bookk.co.kr

ISBN | 979-11-410-9577-2

www.bookk.co.kr

어린 삶의 의인

조현우

목차

끝내며

시작하며

봄이 오고

꽃이 피고
새로운 시작을
알리는
봄

너도
봄과 같다

따뜻함과
아름다움을 가진
봄

너의 마음도
봄과 같다

봄과 같은 너는
봄과 같이
떠나간다

싫은 공부

모두가 싫어하는
너

너는
많은 사람을
쥐락 벼락

싫어도
도움 주는 너
밉다

교과서

펴자면
몽롱하고

닫자면
걱정된다

걱정으로 다시
너를 펴면..

밤은 오지 않았지만
너라는 밤이
나를 재운다

테스트

나를 보여주는
너

하얗고 검은
너

모두가 기피하는
너

모두를 힘들게 하는
너

어린 마음

너는
대단하다

어린아이는
너를 가지고 있다

내 앞에 있는 공룡도
내 위의 하늘 자동차도
점점 사라져간다

어른이 다시
가지고 싶어 하는
너는
대단하다

승리와 패배

승리는
잠깐의 기쁨을

패배는
잠깐의 아쉬움을

승리는 좋은 기억
패배는 발판

승리와 패배는
모두 기회

경험

나는
너로 인해

우리는
너로 인하여

어린이는
너를 거쳐가며

어른도
너를 거치며

오늘도
성장한다

도전

너는 쉽지
않다

누구의 도움이
없다면
너는
쉽지 않다

쉽지 않은
너는악당이다

하지만
너는...

응원이라는
약점이 있다

진정 나를

나는
누구인지
너는
알고 있을까?

알더라도
진정 알고 있을까?

너는...
나를...

여름이 흐르고

덥다 더워
너무 더운 여름

더워서
여름 넌 밉다
그날의 우리는
마치 여름처럼

서로가 더워서
서로가 미웠던 우리

이제는 그만
우리는 이제 그만
서로 덥지 말자

스마트폰

소중 소중
너를
처음 봤을 때

대충대충
너를
조금 봤을 때

짜증 짜증
너를
오래 봤을 때

다시 소중 소중
너를
보내주고
새로운 너를 만날 때

시에 대한 도전

시를 쓰는 것은
힘든 일이지

생각하는 것도
정서를 담는 것도

모두 힘이 드는
일이지만
도전한다

도전은
쉽지 않은 것
기피하는 것

이런 도전이기에
나에겐 더
의미 있는 도전이다

결석

아픈가
슬픈가
힘든가

나는 알 수 없다
너의 마음을

네가 없는
이곳
낯설다

옆에 있던 너
오늘은 내 옆에
너의 잔상만이 남았네

동아리 시간

나이 불문
모두가
모이는 시간

여기선 모두가
친구라네

서로 보고
느낀 건
다르지만

활동으로
마음이 모인다
너는 나의
나는 너의
마음 동갑

쉬는 시간

힘든 시간이 지나
너를 만난다

우리에게
즐거움을 주는
너를

너만 있다면
함께 무얼 해도
재밌다

너를 만나는
시간 10분

다시 안 가면...
정말 안 가면...

방과 후

모든 것이 끝나고
잠시 있는 시간

모두 함께
좋아하는 것을 찾고
힘들었던 시간을
되뇌다

함께하는 친구
함께하는 먹거리
모두 좋다

잠시 있는 시간이
더 있으면 좋겠다

내일도 있고
모래도 있지만
지금이 좋다

좋다
행복하다
계속되면 좋겠다

문구점에

하교하며 단체로
너에게 간다

갑자기 가도
환영해 주는 너

너에겐
재밌는 것
맛있는 것
도움 되는 것
많은 것들이 있다

아 오늘도
너를
그냥 보낼 수 없다

토요일

일주일의 끝
토요일

즐거운 요일이자
안도의 한숨을
끌어내는
토요일

연인과의 시간
가족과의 시간
친구와의 시간
즐거운 시간으로
마무리할까

여가시간
혼자의 시간
그냥 흐르는 시간
충전의 시간으로
마무리할까

행복한 고민으로
하루 마무릴 하네

수학여행은

여행 전날
설렘에
잠 못 이룬다

나만 이런가
생각하니
모두가 그렇다

나도 너도
같은 사람이니까

사람은 결국
다 같은
사람이니까

그런 사람들과
떠나는 여행은
오늘의 추억
한 페이지가 되길

가을이 가버리고

봄과 닮은 가을
너도 닮았다

더웠던 나의 마음도
너로 인해 선선하다

서로가 더웠던
우리

너는 어떨지 모르지만
나의 마음은 이제 선선하다

글쓰기

막대기 하나
손에 잡고
너를 써내린다

너를 쓰다
머리도 아프다

어제부터
준비한 너를
기억만 하면...

하지만
너는 점점 뿌옇게
없어져간다

도시락

우리 모두가
너를 열어본다

모두가 데려온
너는
다 다르다

다른 애들은
너를 주고
너를 받는다

너무 소중한 너를
나는 주지도
나는 받지도 못하겠다

나는 조용히
너와의 시간을...

학원 숙제

나는 네가 싫다
나는 정말 네...

너를 버리고 싶다
너를 정말 나는...

내 또래는
모두 너에게서
고통을 받는다

어른이라는
그림자에 눌려
억지로 너를

이제는 그만
고통을 그만
너를 그만

창체 시간

창의적 인가
체험활동 인가

나의 창체는
종이에
소감문을 쓰는 것

정말 창의적 일까
체험 활동일까

영상만 보며
누구는 떠들고
누구는 잠 자네

창의성 없는
창의적 체험 활동

즐거운
창의적 체험 활동

질병유행

지나가는 사람
같이 노는 친구
산책하는 사람
우리 가족

모두 모두
콜록콜록

우릴 힘들게 하는
너는 필요 없다

다시는
보지 않았으면...

아니면
너도 당해봤으면...

유행하면

누구나 아는
유행

누구나 따르는
유행
나도 알고
너도 알고
모두가 안다

유행은 유명하다
그런 유행을
만들고 싶다

누군가
만든 유행을
따르는 것이 아닌

내가 만드는 유행
남들이
알아준다면

내가 만드는 유행
유명해진다면

기다림의 택배

너를 만나는 종이
떨어져 가지만

계속 너를
집으로 부르네

매일 오지만
매일 기다려지는
너

오늘도 띵동
찾아왔네

너를
불렀지만

잠시 후
또다시 너를
부른다

가방 속 간식

가방에 있으면
행복하고

가방에 없으면
생각나고

가방 속 너
계속해서 보고 싶다

나를
키우는 너는
계속 생각난다

할 수 있을까

나도
할 수 있을까

너도
할 수 있을까

이런 나도
이런 너도

뭐든
할 수 있을까

업적이나
길이 생기나

실패를
두려워하다

오늘도
계획만 세우고
끝이 난다

겨울이 온다

겨울
차가운 겨울

따뜻한 마음에서
더운 감정이 오가고
선선한 마음이 지나
이제 정말 식었다

식다 못해
차가워졌다

나에게 너라는
눈이 쌓이고
너라는 눈을
이제 제설한다

제설 후
남은 눈은
새로운 봄이 녹인다

거의 녹은 너는
아름다운
추억으로 남는다

외동이란

혼자라서

좋을까?

정말

혼자가 좋을까…

친구는

외동이 좋다고

외동이면 좋겠다고

하는데

나는 잘 모르겠다

외동…

혼자…

외동의 외

하나라는 뜻

둘도 셋도 아닌

하나

오늘도

혼자 쓰는 방에

혼자 잠을 청한다

기억 속 친구

어렴풋이
떠오르는 친구

어릴 땐
친했는데
지금은
어디에 간 걸까

그땐
즐거웠는데

그땐
고민 없이
놀았는데

계속 생각하니
보고 싶다

아님
소식이라도

나는 이곳에
그대로인데
너는 나를
기억할까?

소문

입에서
입으로
전해지는
소문

입에서
입으로
전해지다
뒤틀리네

뒤틀린 소문은
오늘도
가해자 없는
피해자 괴롭힘

소문 줄기 따라
올라가 보니
그 끝은
알 수 없네

소문이라는
가해는
영문도 모르는
피해자만
걷잡을 수 없이
늘어난다

집

하루 종일
집에 가고 싶다

너도나도
입에 달고 사는
말

집에 있어도
집에 가고 싶다

피곤한가 하면
어린애가
뭐가 피곤하냐며
의문 가지는
어른들

어려도
집에 가고 싶다

집이지만
집에 가고 싶다

과제하는

과제하면서
난 생각

과제...
언제부터
과제였나...

숙제였던 때
나는
숙제가 싫었는데

과제
왜 군말 없이
하고 있나...
잘 모르겠다

왜 숙제가
과제로
진화했을까

숙제는
하기 싫다
떼쓰고

과제는 왜
군말 없이
하나

모르겠다
진짜 모르겠네

공원에 가며

공원
예전부터 있던
공원

나의
놀이터
나의
산책로
나의
즐거움

나의 과거를
책임 지던
공원

원래 이렇게
작았나...

예전에는
크게 느꼈는데
왜 이렇게
작아졌나

다시 가고 싶다
그 큰 공원에

버거 집

오랜만에 먹는
버거

그렇게
먹고 싶었던
버건데
오늘은 별로
먹고 싶지 않다

내 앞에
어린아이
치즈 버거를
사 먹는다

이게 뭐라고
그렇게 좋을까

입가에 미소가
가득하네

지금 시킨 버거
나에게 주고 싶다
내가 먹지 않고
나에게 주고 싶다

생일 날

생일에 항상
불던 케이크

케이크 위에 초
10개였던 게
어제 같은데
이젠 너무
많아졌다

생일이면
모두 모여
파티하던 우리

생일이
뭐 중요한가

그냥 지나가는
한 날인데

모이지 않고
문자로 오는
안부 같은 축하

내일이면 끝나는
오늘
즐거운 하루였나

착한아이

예전부터
불리던 별명
착한 아이

착한 아이라는
별명 때문에
이런 건 아닐까

착한 아이는
뭘까
조용한 아이?
얌전한 아이?

착한 아이라는
낙인이

내 속을
답답하게 한 것은
아닐까?

생각해 보면
어린아이에게
착하고 나쁜 것이
어디 있나

어린아이는
아이일 뿐이다

새벽

이른 새벽
잠에서 깼다

왜인지
새벽 공기는
아침과 다르다

차갑고
새소리
일찍 출근하는
아빠들

나는 이 새벽이
좋으며 싫다

모두가 자는
새벽

누군가는
바쁘니까

모둠활동

누구나 싫어하는
모둠 활동

맡기 싫은 조장
하지만 맡아버린
조장

아무도
참여하지 않네

친절할까
화를 낼까
나도 하지 말까

조사는 해와도
작성은 아무도…

모든 것을 안고
모두의 이름을
Backspace

발표과제

조사하고
준비한 과제

시간도 들고
노력도 들지만
열심히 준비한
과제

앞에 나가니
기억이 안 나
마음 졸이네

분명 연습은
잘했는데

분명 시간도
맞췄는데

잘하는 애들이
부럽다
나도 잘하면...

반려동물

예전에도
지금도
키우고 싶다

예전에 키우던
햄스터
물고기

키울 땐 좋지만
보낼 땐…

부모님의 마음을
조금이나마
알 수 있는
반려동물 키우기

기쁘면서 슬픈
반려동물 키우기

선크림

피부를 보호하는
선크림

바르면
찐득 찐득
너무 싫다

예전에는
바르기 싫었는데
후회된다

그냥 바르지
엄마의 말도
그냥 듣고 바르지

정말
찐득해서 싫었나

아니면
반항심이었나

에어컨

더운 여름
최고의 발명품
에어컨

진짜
에어컨이 없다면
우리는 땀으로
워터파크를
세웠을 것이다

사람들
모두가 그런다
최고의 발명품

하지만
여름이 지나면
돈 먹는 기계

어쩌면
최고의 발명품
어쩌면
돈 먹는 기계

이랬다저랬다
참 어렵다

전기요금

우편함에 있는
종이 하나

종이에
수많은 숫자들

이게 뭐지?
생각해 보니
전기 요금 청구서

모두의 한숨
비싼 전기 요금

이번 달도
많이 나온 요금에
화들짝
놀라는 가족들

없다가도 있고
있다가도 없는
돈
그런 돈인데

먹고살려
아등바등 벌어도
숨만 쉬면
없어지네

졸업

졸업이란
뭘까

끝?
시작?

나에겐
아직 못다 온
길 같다

6년 중 한번
9년 중 한번
12년 중 한번

끝인 줄 알았으나
새로운 시작이다

새로운 도전
새로운 과목
새로운 사람

모두 졸업에서
졸업으로

졸업 사이 일은
모두 너라는
추억으로

끝

끝인가

끝인 줄 알았는데
수정한다

완벽한가

완벽인 줄 알았다
그렇지 않다

끝내려고
아등바등
열심히 하지만
우리는 결국
수정한다

우린
완벽하지 않다

우린 아직
수정 중이며
우린 아직
끝내지 못한다

끝내며

작가의 말

새로운 도전, 새로운 경험, 새로운 일 등 새로운 것을 해보고 싶었던 나에게 정말 독특한 경험을 선사해 준 일이었다.

도전 형식으로 시작했던 시집을 쓰는 일이 정말 나에게 즐거운 일이 되어 기회가 된다면 또다시 도전해 보고 싶은 경험이 되었다. 만약 삶이 무료하거나 새로운 일을 찾고 싶으면 시집을 쓰는 일을 도전하는 것을 적극 추천한다.

시집을 도전한다면 남는 시간에 시를 쓰는 것을 추천한다. 시를 쓰는 일은 남는 시간을 정말 잘 활용할 수 있을 것이고, 글 쓰는 활동을 좋아한다면 꼭 도전해 봤으면 하는 일이다.

많은 경험을 해보고, 많은 사람을 만나야 진정 나를 만날 수 있는 것 같다.